ORFF-SCHULWERK

Carl Orff – Gunild Keetman
Musik für Kinder
Paralipomena

ED 6698
ISMN 979-0-001-07109-3

www.schott-music.com

Mainz · London · Berlin · Madrid · New York · Paris · Prague · Tokyo · Toronto
© 1977 SCHOTT MUSIC GmbH & Co. KG, Mainz · Printed in Germany

Der Titel „Paralipomena" bezeichnet „Ausgelassenes, Übergangenes". Diese Sammlung enthält aber nicht nur Nachträge, sondern zeigt zugleich eine Ausweitung des Horizonts.

Zur Zeit des Erscheinens der ersten Bände „Musik für Kinder" waren weder die klanglich so wichtigen Metallophone noch das Baßxylophon vorhanden. Sie wurden erst später den Maendlerschen Prototypen der Vorkriegszeit nachgebaut und konnten nur in den letzten Bänden Verwendung finden. Heute gehören diese Instrumente auch in den Anfangsunterricht.

In die Schallplattenreihe „Musica poetica" wurde eine Anzahl neuer Stücke aufgenommen, die in „Paralipomena" erstmals im Druck erscheinen. Ferner dokumentieren Neuinstrumentierungen und klangliche Erweiterungen von Stücken aus „Musik für Kinder" erneut die Ausbaufähigkeit des Modells. Bei diesem klanglichen Ausbau wurden auch bis dahin nicht verwendete Instrumente einbezogen: Trompeten, Posaunen, Streichbaß, Laute, Liedharfe, Cembalo und die wieder neugebauten alten Holzblasinstrumente wie Sordun, Krummhorn u. a.

Schließlich werden die in „Musik für Kinder" ausführlich dargestellten Modi: Aeolisch, Dorisch und Phrygisch durch Beispiele in lydischer und mixolydischer Tonart ergänzt.

Die Sammlung „Paralipomena", mit Beispielen aus allen Bereichen und Stufen des Schulwerks, kann auch als Querschnitt durch das ganze Werk betrachtet werden.

Im August 1976   *Carl Orff*

INHALT

G. K. = Gunild Keetman   C. O. = Carl Orff

I

1. Meisenruf

Zi - zi - be, zi - zi - be, d'Sonn ver-schluckt den letz - ten Schnee.

Be - be - zi - zi, be - be - zi - zi, be - be - zi - zi, be - be - zi - zi. Zi - zi - be, zi - zi - be,

zi - zi - be, zi - zi - be, zi - zi - be, zi - zi - be, zi - zi - be, zi - zi - be.

Alt - Glockenspiel

© 1977 Schott Music GmbH & Co. KG, Mainz

2. Blaue, blaue Wolken

Blau-e blau-e Wol -ken, Ma - ri - a hat ge-mol - ken

Sie-ben Küh in ei-nem Stall, Jung-fer Ca-tha-ri - na. Ah ____ ah ____ ah ____ ah.

3a. Ene bene Bohnenblatt

E - ne be - ne Boh-nen-blatt, wie viel Küh sind noch nicht satt?

Sie - ben Geis und ei - ne Kuh Sankt Pe - ter schließt die Stall-tür zu, und schmeißt den Schlüs-sel ü - bern Rhein.

Mor-gen wird gut Wet-ter sein.

3b. Ene bene Bohnenblatt

Sopran - Metallophon

Alt - Metallophon

Alt - Xylophon

E - ne be - ne Boh-nen-blatt, wie-viel Küh sind

noch nicht satt? Sie - ben Geis und ei - ne Kuh, Sankt Pe - ter schließt die Stall-tür zu und schmeißt den Schlüs-sel ü - bern Rhein.

Sopran - Glockenspiel Alt-

Sopran - Metallophon

Alt - Metallophon

Alt - Xylophon

Mor - gen wird gut Wet - ter sein. Ah!

4. Ist gar ein schöner Garten

Ist gar ein schö - ner Gar - ten, sein schö - ne Läd - le drin, und Blu - men wun - der - schön. Der Weg, der ist von Gul - den, die Staf - feln sein von Glas. Z' o - berst dro - be sit - zet a

Sopran-Glockenspiel
Alt-Glockenspiel
Alt-Metallophon
Baß-Xylophon
Cello

arco

wun-der-schö-ne Frau,   Hats Kind-lein auf dem Arm mit

Sopran-
Glockenspiel

pp

Alt-
Glockenspiel

Alt-
Metallophon

Baß-
Xylophon

Cello

Zep-ter und mit   Kron.   Ah

pp

Sopran-
Glockenspiel

pp

Alt-
Glockenspiel

pp

Alt-
Metallophon

Baß-
Xylophon

pp

pp
pizz.

Cello

5. Frau Holda

Frau Hol - da tut Was - ser tragn mit gold - nen Kan - nen,

aus gold - nem Brün - nel, da lie - gen viel drin. Sie legt s' auf die Kis - sen und

„Schlafe mein Kindchen, schlafe mein Kind"; im 13. Jahrh. durch griechische (türkische) Ammen nach Wien gebracht. Verbreitet sich als „Haiderl pupeiderl, Haiderl pupei"
(woraus „Eia, popeia" wurde)

13

6. Sitzt an Engerl an der Wand

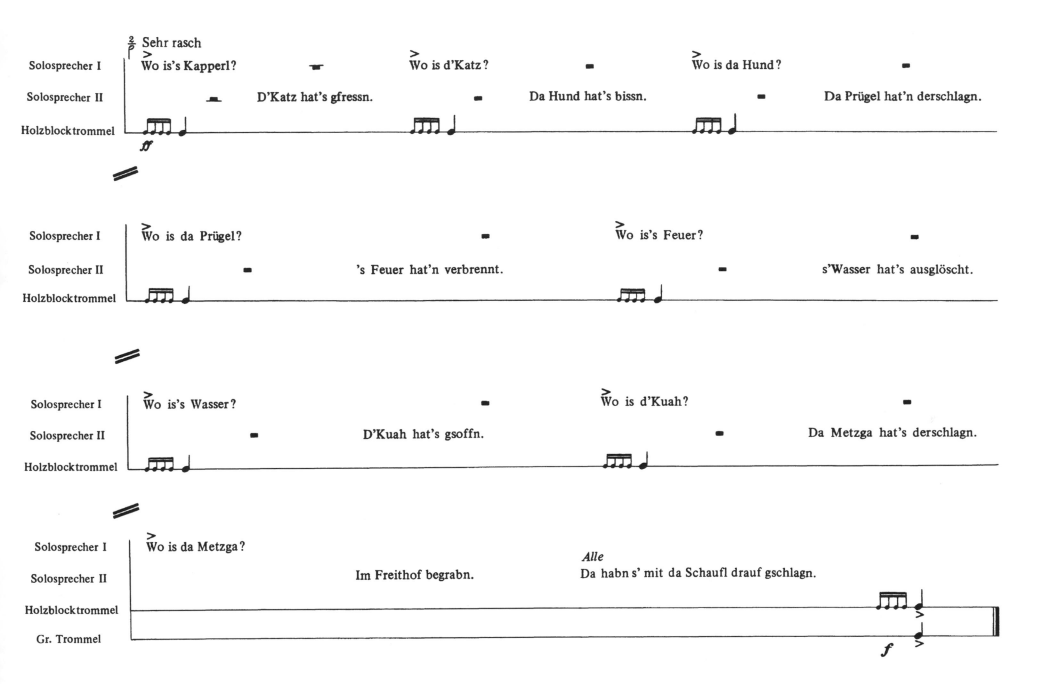

15

7. Der Müller thut mahlen

Der Mül-ler thut mah-len, das Räd-le geht um, mein Schatz ist ver - zür-net weiß selbst nit war-um.

Drei Ro-sen im Gar-ten, drei Il-gen im Wald, im Sommer ist's lu-stig im Win-ter ist's kalt.

Glockenspiel

Alt-Xylophon II

Alt-Xylophon I

II

Pauken

Hin-ter der Do-nau-brück steht a schöns Häus - le, sitzt a schöns Mäd-le drin, singt wie a Zeis - le.

Glockenspiel

Alt-Xylophon II

D. C. al Fine

8. Geschichtete Ostinati *) (pentatonisch)

*) Einsatz der Begleitinstrumente gleichzeitig oder in Gruppen – im Abstand von 2 Takten: von oben nach unten oder von unten nach oben

9. Nüna, nüna, Puppala schlof!

Nü - na, nü - na, Pup - pa - la, schlof!

Schlof, mei gol - digs An - ge - la, in a hol - zigs Kam - mer - la. Nü - na, nü - na, Pup - pa - la schlof!

Sopran-
Glockenspiel
Alt-

Alt-
Metallophon

Baß-
Xylophon

10. Drei kleine Nachspiele:

a)

für Summstimme
oder mit
improvisiertem Text

Metallophon

D: C. al Fine

21

11. Vier Sprechstücke:
1. Duck dich

2. Vivos voco

22

3. Kommt Zeit, kommt Rat

23

4. Schnepfenregel

12. Schau grad wias regna tuat

Schau grad wias reg - na tuat, schau grad wias

giaßt, schau grad wias Was - sa vom Dach a - bi schiaßt. Schau grad wias reg - na tuat,

schau grad wias giaßt, schau grad wias Was - sa vom Dach a - bi schiaßt.

Waschl waschl waschl naß wern ma waschl waschl waschl naß wern ma waschl waschl waschl waschl, waschl waschl,

Klatschen
Patschen

waschl, waschl, waschl naß. Waschl waschl waschl waschl waschl waschl waschl waschl waschl naß wern ma

Klatschen
Patschen

Waschl waschl waschl waschl waschl waschl waschl waschl waschl naß. Waschl waschl waschl waschl waschl waschl

Klatschen
Patschen

waschl waschl waschl waschl waschl waschl waschl waschl waschl waschl waschl waschl waschl waschl waschl naß.

Klatschen
Patschen

13. Havele, havele Hahne

Gr. Ratschen

Holzblocktrommeln

Gr. Holzfaß
mit Holzschlägeln

Stöcke mit Schellen
auf Boden gestampft

Sehr lebhaft

Einer

Ha- ve- le, ha-ve- le Hah - ne, Fa - se-nacht geht a - ne:

Stöcke

Alle

Ha - ve- le, ha - ve- le Hah - ne, Fa - se- nacht geht a - ne.

Stöcke

Einer

Dro - ben in dem Hin - kel - haus, hängt ein Korb mit Ei - ern raus

Alle

Dro - ben in der Fir - ste hän - gen die Brat - wür - ste:

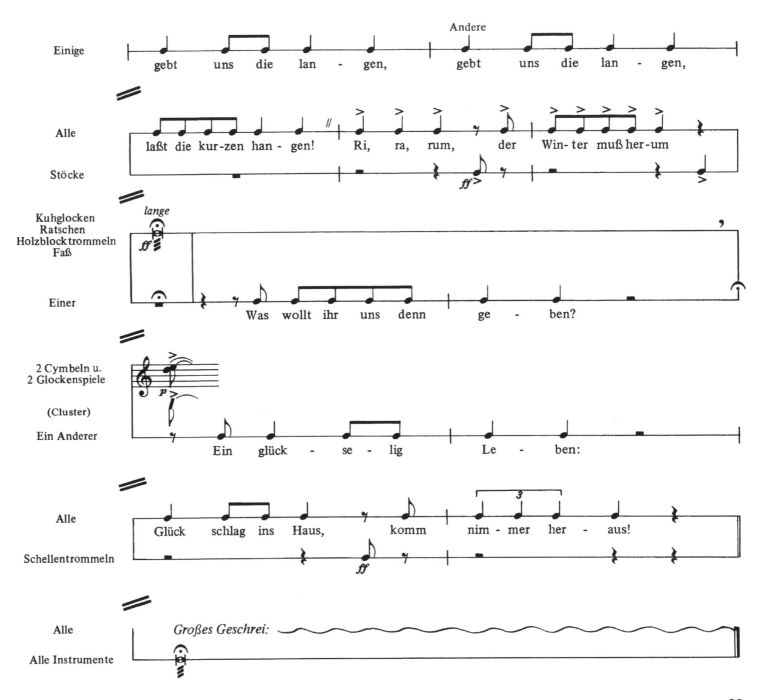

Einige: gebt uns die lan - gen, Andere gebt uns die lan - gen,

Alle: laßt die kur-zen han - gen! Ri, ra, rum, der Win-ter muß her-um

Stöcke

Kuhglocken
Ratschen
Holzblocktrommeln
Faß

Einer: Was wollt ihr uns denn ge - ben?

2 Cymbeln u.
2 Glockenspiele

(Cluster)

Ein Anderer: Ein glück - se - lig Le - ben:

Alle: Glück schlag ins Haus, komm nim - mer her - aus!

Schellentrommeln

Alle: *Großes Geschrei:*

Alle Instrumente

29

II

14. Intrada für Pauken, Trompeten und Flöten

Pauken

31

15. Ballade vom Herrn Latour

Wo bleibt denn nur der Herr La-tour? Vive l'a-, vive l'a-, vive l'a-mour!

ist des Grafen Töchterlein, es sitzt im tie-fen Turm al-lein.

33

2. Da reit't der Herr von Ni-ni-ve auf seinem Schimmel in die Höh. Was will der Herr von Ni- ni -ve?
3. Da kommt der Herr von Ehrenwert mit Roß und Schild und Spieß und Schwert. Was tut der Herr von Eh-ren-wert?

2. Er
3. Wie

34

Chor

2. 3. Wo bleibt denn nur der Herr La-tour? Vive l'a -, vive l'a -, vive l'a- mour!

will das ar - me Kind befrei'n, doch läßt der Wurm ihn nicht her-ein.
der den Dra-chen brül-len hört, da läßt er fal- len Schild und Schwert.

4. Da kommt heran der Herr Latour, be - waffnet mit dem Schwerte nur. Was macht denn nur der Herr La-tour?

4. Er

4. Der tapf-re, bra-ve Herr La-tour! Vive l'a-, vive l'a-, vive l'a-mour!

sprengt heran auf seinem Pferd und schlägt ihn tot mit sei-nem Schwert.

arco

5. Wir tanzen um den Turm herum, der Wurm ist tot, der Turm liegt um! Was macht denn nur der Herr La-tour?

5. Er

38

Chor I: Wir tanzen rund und singen nur: Vive l'a-, vive l'a-, vive l'a-mour!

Chor II: setzt das Töch-ter-lein auf sein Roß, hält Hochzeit dann auf sei-nem Schloß.

16. C'etait Anne de Bretagne

1. C'é - tait An - ne de Bre-tag - ne, du-chesse en sa - bots.
2. Re - ve-nant de ses do-mai - nes, du-chesse en sa - bots.
3. En - tou-rée de châ - te-lai - nes, du-chesse en sa - bots.

Re - ve-nant de ses do-mai - nes en sa-bots mir-li - ton- tai - ne.)
En - tou-rée de châ - te-lai-nes en sa-bots mir-li - ton-tai - ne. } 1.-12. Ah! Ah! Ah! vi-vent les sa-bots de bois!
Vo - i - là qu'aux portes de Ren-nes en sa-bots mir-li - ton -tai - ne.)

4. Voilà qu'aux portes de Rennes . . .	trouva trois vieux capitaines . . .
5. Trouva trois vieux capitaines . . .	Ils saluent leur souveraine . . .
6. Ils saluent leur souveraine . . .	jouent un bouquet de verveine . . .
7. Jouent un bouquet de verveine . . .	„S'il fleurit, tu seras reine'' . . .
8. „ S'il fleurit, tu seras reine'' . . .	elle a fleuri la verveine . . .
9. Elle a fleuri la verveine . . .	Anne de Bretagne fût reine . . .
10. Anne de Bretagne fût reine . . .	Les Bretons sont dans la peine . . .
11. Les Bretons sont dans la peine . . .	ils ont perdu leur souveraine . . .
12. Ils ont perdu leur souveraine . . .	en France ils suivront leur reine . . .

Die Strophen sind sogenannte „couplets croisés", d. h. die 2. Zeile der 1. Strophe bildet mit der folgenden Zeile die 2. Strophe usw.

17. Geschichtete Ostinati*⁾ (pentatonisch)

*⁾ Einsatz der Begleitinstrumente gleichzeitig oder in Gruppen – im Abstand von 2 Takten: von oben nach unten oder von unten nach oben

43

18. Abendlied (Matthias Claudius)

(die zu jeder Strophe gehörende Begleitung wird jeweils 2 Takte vorausgespielt)

Der Mond ist aufgegangen,
die goldnen Sternlein prangen
am Himmel hell und klar;
der Wald steht schwarz und schweiget,
und aus den Wiesen steiget
der weiße Nebel wunderbar.

Wie ist die Welt so stille
und in der Dämmrung Hülle
so traulich und so hold!
Als eine stille Kammer,
wo ihr des Tages Jammer
verschlafen und vergessen sollt.

Seht ihr den Mond dort stehen?
Er ist nur halb zu sehen
und ist doch rund und schön!
So sind wohl manche Sachen,
die wir getrost belachen,
weil unsre Augen sie nicht sehn.

So legt euch denn, ihr Brüder,
in Gottes Namen nieder;
kalt ist der Abendhauch.
Verschon uns, Gott, mit Strafen
und laß uns ruhig schlafen!
Und unsern kranken Nachbar auch!

© 1977 Schott Music GmbH & Co. KG, Mainz

45

19. Vor der Ernte (Martin Greif)

Nun störet die
Ähren im Felde   ein leiser Hauch,

wenn eine sich
beugt, so bebet   die andere auch.   Es ist als ahnten
sie alle   der Sichel Schnitt   die Blumen und
fremden Halme   erzittern mit.

libero

p (weit entfernt)

pp wechselnd in der Dynamik, wie ferner Donner

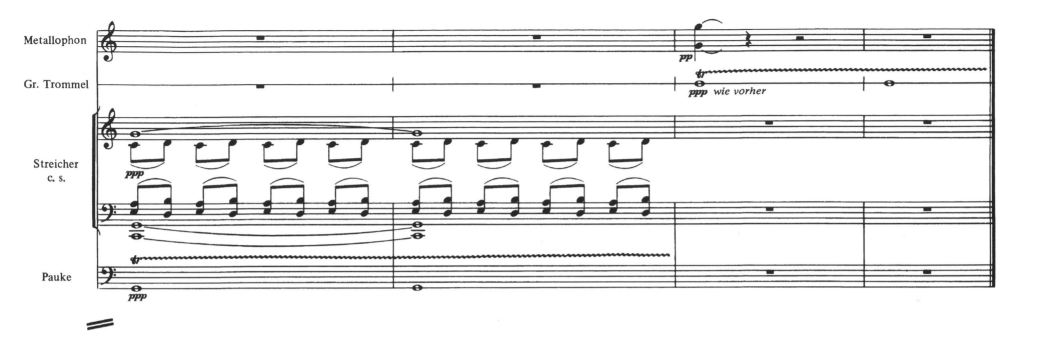

20. Der Tod (Matthias Claudius)

Ach, es ist so dunkel   tönt so traurig   und nun aufhebt   und die Stunde
in des Todes Kammer,   wenn er sich bewegt   seinen schweren Hammer   schlägt.

21. Zum Einschlafen zu singen

22. Der Mensch (Matthias Claudius) für gemischten Chor

Der Mensch, der Mensch, der Mensch, der Mensch lebt und be - ste - het

nur ei - ne klei - ne Zeit; und al - le Welt, und al - le Welt,

und al - le Welt ver - ge - het mit ih - rer Herr - lich - keit.

Es ist nur Ei - ner e - wig und an al - len En - den,

und wir, und wir, und wir in sei - nen Hän - den Ah!

und wir, und wir,

23. Zwei Chorsätze:

Te lucis ante terminum

Te lu - cis an - te ter - mi - num, Re - rum cre - a - tor, pos - ci - mus,

Ut so - li - ta cle - men - ti - a Sis prae - sul ad cu - sto - di - am.

Pro - cul re - ce - dant som - ni - a Et noc - ti - um phan - tas - ma - ta

Ho - stem - que no - strum com - pri - me, Ne pol - lu - an - tur cor - po - ra!

Beim letzten Lichtstrahl rufen wir
Du All - Erschaffer, jetzt zu dir:
In alter Huld sei unser Hort
Zu unserm Schutze auch hinfort!

Fort treib der bösen Träume Zug
Und fort der Nachtgespenster Spuk,
Leg unserm Feinde Fesseln an,
Daß er den Leib nicht schänden kann!

Übersetzung Karl Langosch

Tres magi

Tres ma-gi de gen-ti-bus Je-sum cum mu - ne-ri-bus o - rant fle-xis ge-ni-bus cum vir-gi-ne Ma - ri - a.

24. Bläserstück

*) oder andere Holzblasinstrumente

51

25. Es geht ein dunckle Wolcken rein

Es geht ein dunck - le Wol - cken rein, mich deuchts es werd ein Re - gen sein, ein Re - gen auß den Wol - - cken wol in das grü - ne Graß.

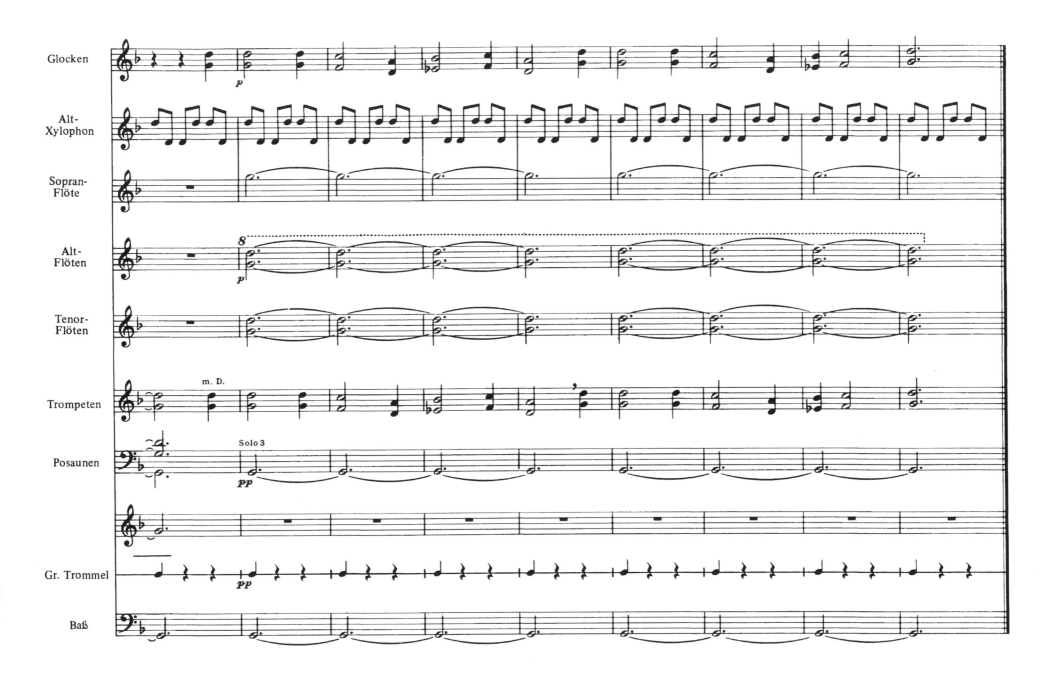

53

26. Das Pfingstei

Ach Frau, get ons en Peist - ei! Fein Ro - sen - blü - me - lein! dat

schlont wie en de Pann ent - wei. Fein Ro - sen - blü - me - lein! Ei du wack - res Mäg - de - lein!

2.) Ach Frau, get ons en Brotwurst,
   Dat stöllt den Honger on brengt den Durst.

3.) Ach Frau, get ons de langen,
   On loßt de kurten hangen!

4). Wellt ihr ons noch nit hören,
   Wie stohn för üren Dühren!

5). Drom lößt ons nit so lange stohn,
   Denn wie hant jo noch so wit zu gohn!

III (lydisch)

27. Von der Geburt des Herrn (Moosburger Cantionale 1360)

Cantus
1. Nunc an - ge - lo - rum glo - ri - a ho - mi - ni - bus re - splen - du - it_ in mun - do. Quam ce - le - bris vic - to - ri - a re - co - li - tur et
2. Heut sein die lie - ben En - ge - lein in hel - lem Schein er - schie - nen bei_ der Nach - te den Hir - ten, die ihr Schä - fe - lein bei Mon - den - schein im

cor - de lae - ta - bun - do. No - vi par - tus gau - di - um vir - go ma - ter pro - du - xit, et sol ve - rus in te - ne - bris_ il -
wei - ten Feld be - wach - ten. Gro - ße Freud und gu - te Mär woll'n wir euch of - fen - ba - ren, die euch und al - ler Welt soll wi - der -

- lu - xit. Nas - ci - tur E - ma - nu - el com - ple - ta pro - phe - ti - a, sal - va post par - tum vir - gi - ne_ Ma - ri - a.
- fah - ren. Got - tes Sohn ist Mensch ge - born aus ei - ner Jung - frau rei - ne, o Mut - ter Got - tes mild, Jung - frau_ Ma - ri - a.

Da Capo al Fine

57

28. Das arm Kind (Georg Büchner)

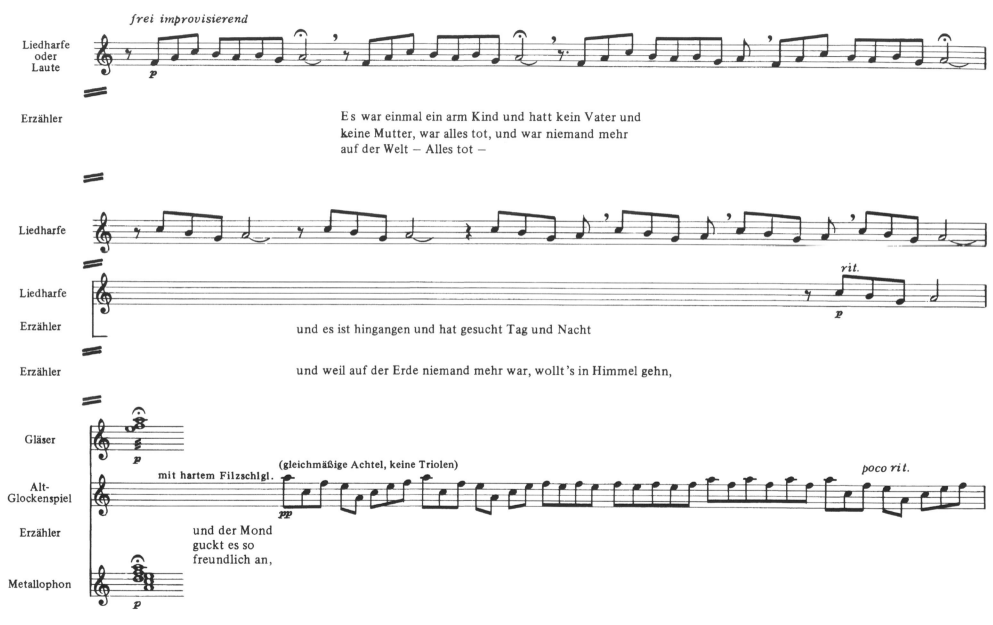

Liedharfe oder Laute — *frei improvisierend*

Erzähler

Es war einmal ein arm Kind und hatt kein Vater und
keine Mutter, war alles tot, und war niemand mehr
auf der Welt — Alles tot —

Liedharfe

Liedharfe — *rit.*

Erzähler

und es ist hingangen und hat gesucht Tag und Nacht

Erzähler

und weil auf der Erde niemand mehr war, wollt's in Himmel gehn,

Gläser

Alt-Glockenspiel — mit hartem Filzschlgl. (gleichmäßige Achtel, keine Triolen) — *poco rit.*

Erzähler

und der Mond
guckt es so
freundlich an,

Metallophon

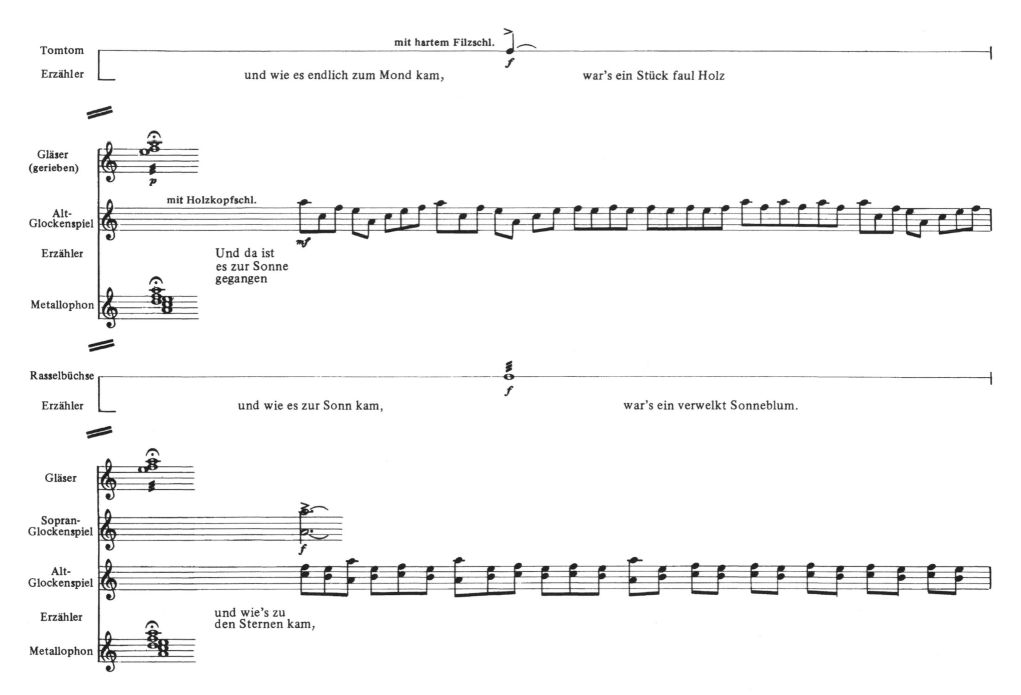

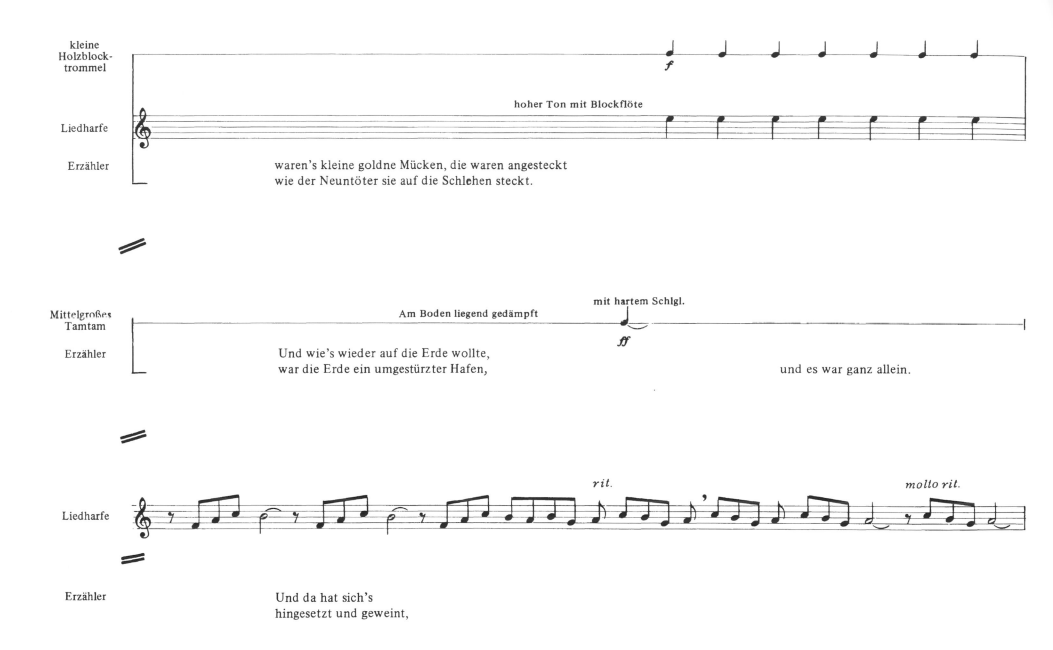

kleine Holzblocktrommel · *f*

Liedharfe — hoher Ton mit Blockflöte

Erzähler — waren's kleine goldne Mücken, die waren angesteckt
wie der Neuntöter sie auf die Schlehen steckt.

Mittelgroßes Tamtam — Am Boden liegend gedämpft — mit hartem Schlgl. *ff*

Erzähler — Und wie's wieder auf die Erde wollte,
war die Erde ein umgestürzter Hafen, und es war ganz allein.

Liedharfe — *rit.* — *molto rit.*

Erzähler — Und da hat sich's
hingesetzt und geweint,

60

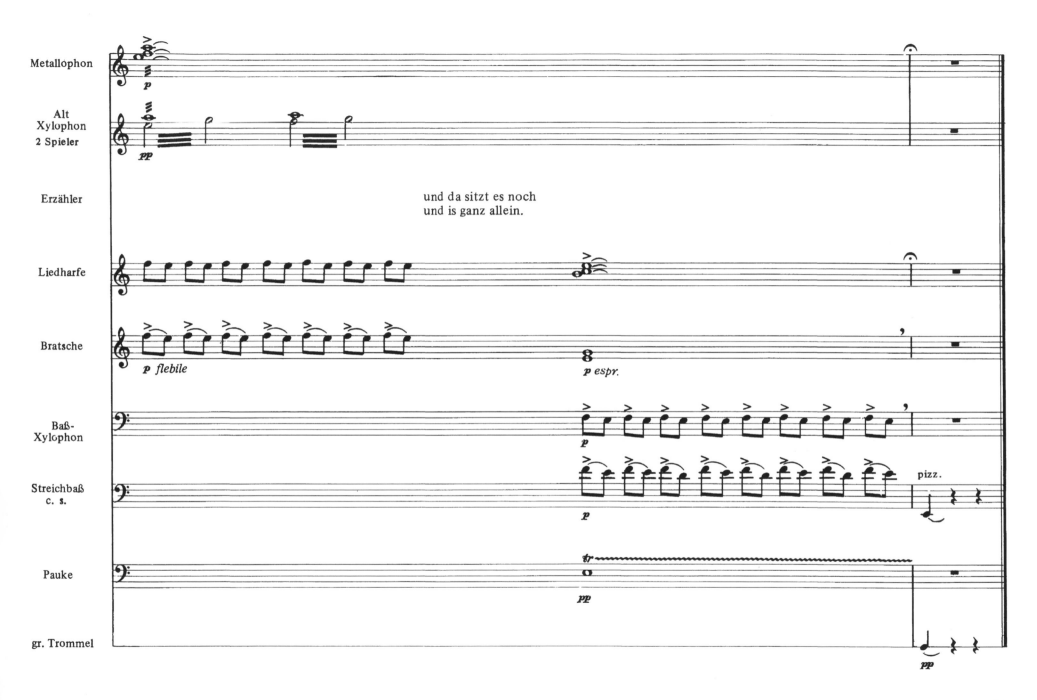

und da sitzt es noch
und is ganz allein.

29. Lydisches Flötenstück

(Beide Spieler nehmen Sopran Flöte)

IV (mixolydisch)

30. Geschichtete Ostinati*)

*) Einsatz der Begleitinstrumente gleichzeitig oder in Gruppen – im Abstand von 2 Takten: von oben nach unten oder von unten nach oben

31. Der Meie

viel, ___ ich trag ein frei Ge - mü - te, Gott weiß wohl wem ichs will, ___ Gott weiß wohl wem ichs will. Der will.

Kl. Flöte

2 Sordune

2 Posaunen con sordino

Alt-Glockenspiel (Wiederholung)

Baß-Xylophon (Wiederholung)

Cello / Baß Kontrabaß

Trommel mit Schlegel

Kl. Flöte

Schellentrommel

Trommel mit Schlegel

Kl. Flöte

Schellentrommel

Trommel mit Schlegel

Kl. Flöte

Schellentrommel

Da Capo

32. Der Froschkönig (Märchen der Brüder Grimm)

Sehr ruhig und heimlich

Glockenspiel

Glas
(gerieben)

Alt-Xylophon

Metallophon

Baß-Xylophon
(2 Spieler)

Glas

Alt-Xylophon

Metallophon

Froschkönig   Königstochter, jüngste, mach mir auf,

weißt du nicht, was gestern du zu mir
gesagt

Baß-Xylophon

bei dem kühlen Brunnenwasser? weißt du nicht? Königstochter, jüngste, mach mir auf.

(geflüstert) mach mir auf!

Der Eiserne Heinrich

Königssohn „Heinrich der Wagen bricht." Heinrich „nein, Herr, der Wagen nicht,

es ist ein Band von meinem Herzen,
das da lag in großen Schmerzen,

als ihr in dem Brunnen saßt,
als ihr eine

Fretsche wast."

Königssohn „Heinrich der Wagen bricht." „Nein Herr, der Wagen nicht, es ist ein Band von meinem Herzen das da lag in großen Schmerzen, als ihr in dem Brunnen saßt, als ihr eine Fretsche wast."

Heinrich

74

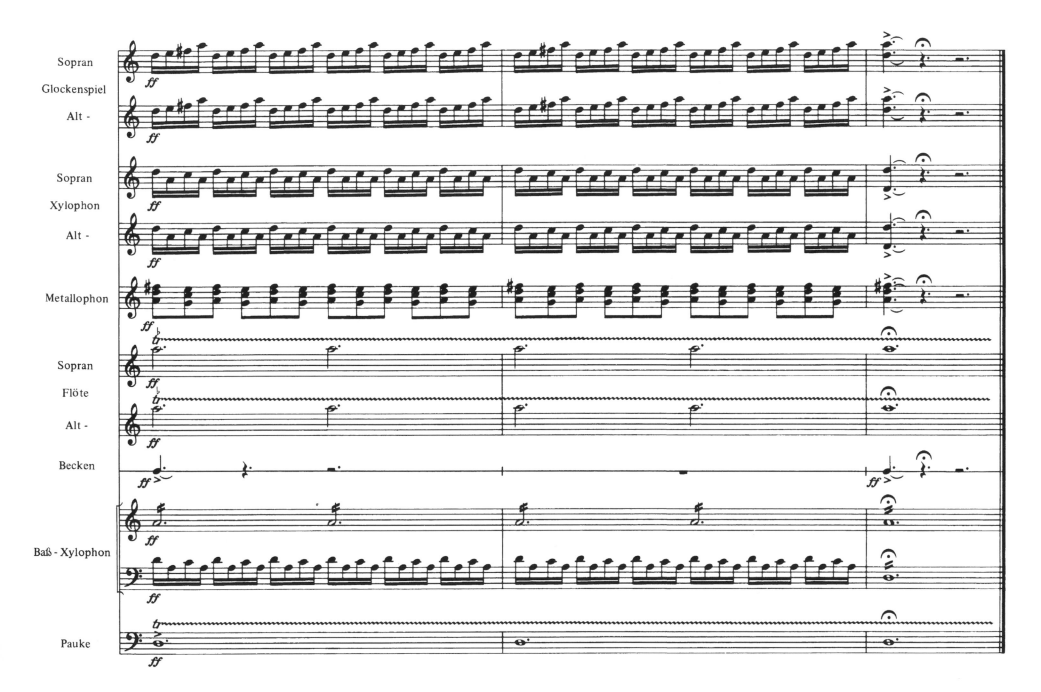

33. Wiegenlied beim Mondschein zu singen (Matthias Claudius)

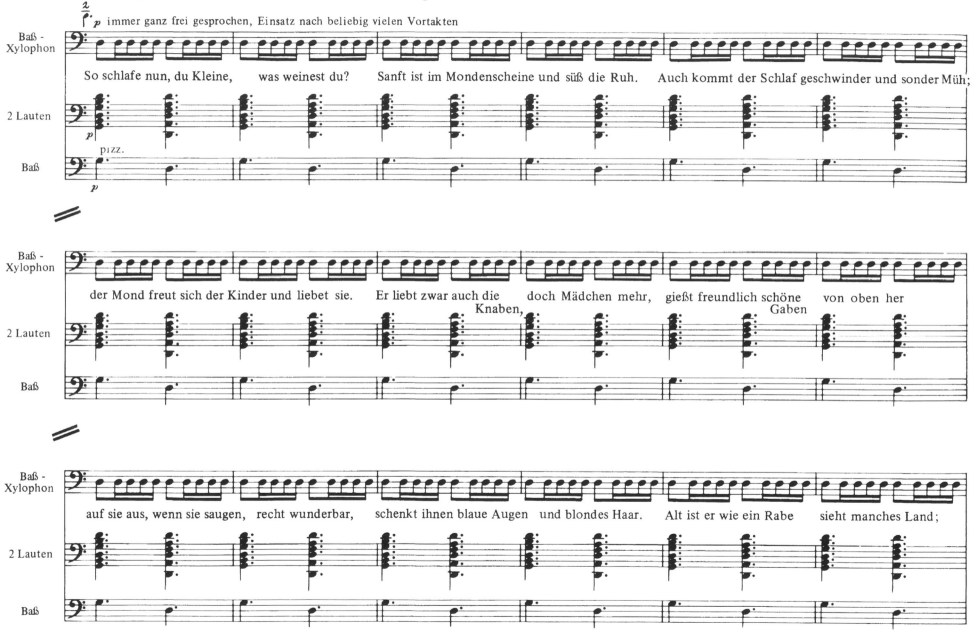

immer ganz frei gesprochen, Einsatz nach beliebig vielen Vortakten

Baß-Xylophon

So schlafe nun, du Kleine, was weinest du? Sanft ist im Mondenscheine und süß die Ruh. Auch kommt der Schlaf geschwinder und sonder Müh;

2 Lauten

Baß — pizz.

der Mond freut sich der Kinder und liebet sie. Er liebt zwar auch die Knaben, doch Mädchen mehr, gießt freundlich schöne Gaben von oben her

auf sie aus, wenn sie saugen, recht wunderbar, schenkt ihnen blaue Augen und blondes Haar. Alt ist er wie ein Rabe sieht manches Land;

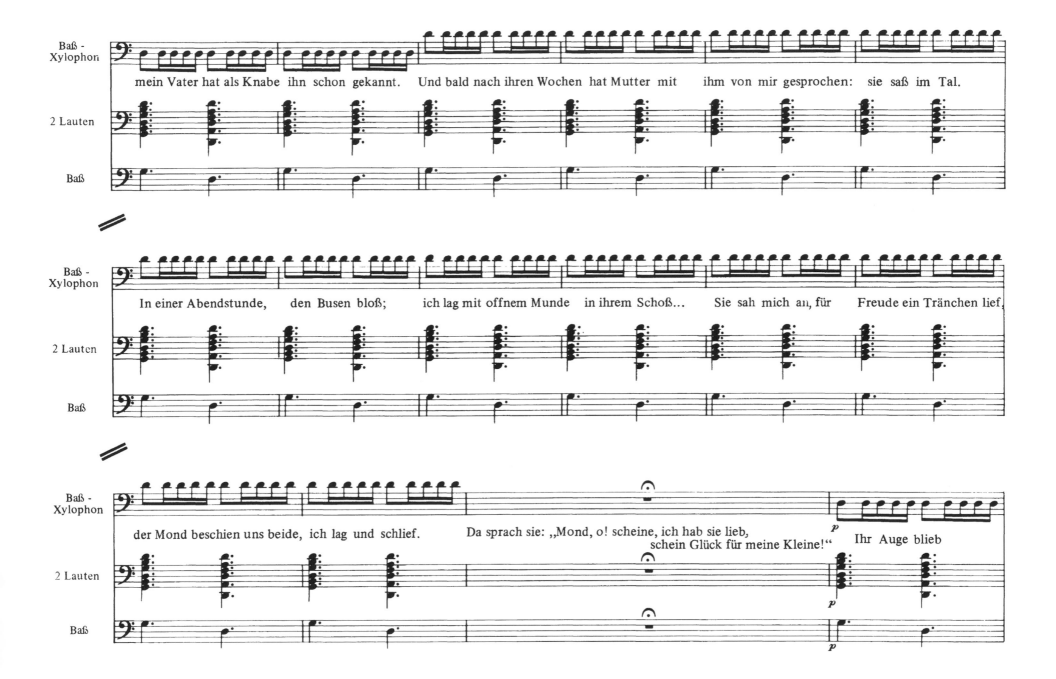

Baß - Xylophon

mein Vater hat als Knabe ihn schon gekannt. Und bald nach ihren Wochen hat Mutter mit ihm von mir gesprochen: sie saß im Tal.

2 Lauten

Baß

Baß - Xylophon

In einer Abendstunde, den Busen bloß; ich lag mit offnem Munde in ihrem Schoß... Sie sah mich an, für Freude ein Tränchen lief,

2 Lauten

Baß

Baß - Xylophon

der Mond beschien uns beide, ich lag und schlief. Da sprach sie: „Mond, o! scheine, ich hab sie lieb, schein Glück für meine Kleine!" Ihr Auge blieb

2 Lauten

Baß

p

77

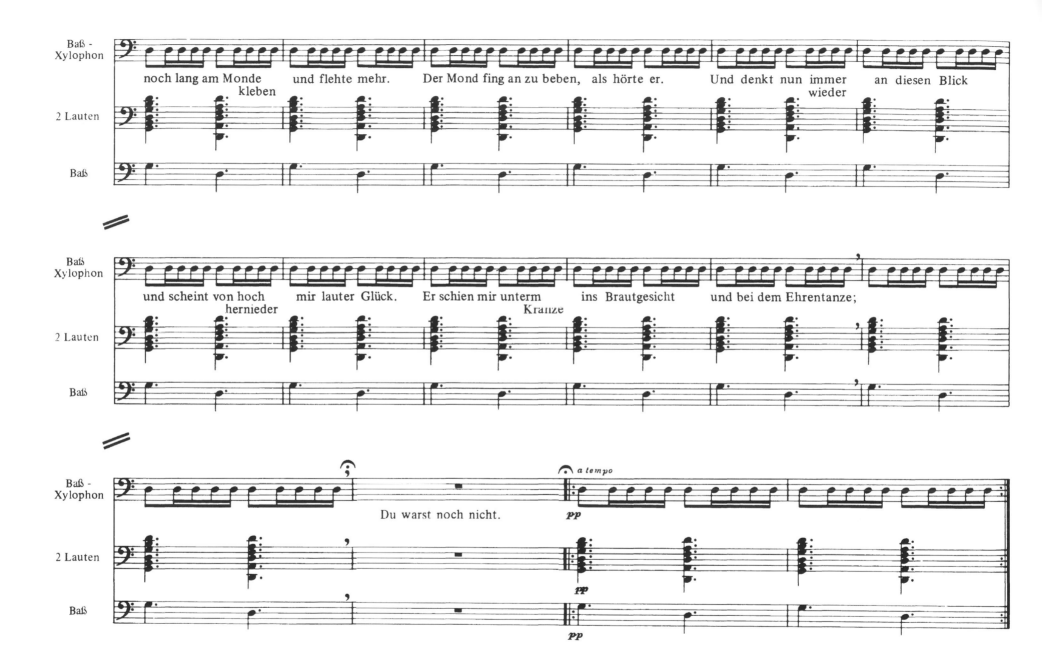

34. Das himmlische Leben (Des Knaben Wunderhorn)

nie - ßen die himm-li - schen Freu - den, drum thun wir das Ir - di-sche mei - den, kein welt - lich Getüm - mel hört

3. Kräu - ter von al - ler - hand Ar - ten, die wach-sen im himm - li - schen Gar - ten, gut Spar - gel, Fi - so - len, und

80

man   nicht   im   Him - mel,lebt   al - les   in   sanf - te -ster   Ruh;   wir   füh - ren   ein   eng - li - sches   Le - ben,   sind
was   wir   nur   wol - len, ganze   Schüs -sel   voll   sind   uns   be - reit.   Gut   Äp - fel, gut   Birn   und   gut   Trau - ben,   die

den-noch ganz lu - stig da - ne - ben,   wir   tan- zen und springen, wir hüp - fen und sin - gen, Sanct Pe - ter im Himmel sieht   zu.
Gärt-ner, die al - les er -lau - ben,   willst   Rehbock, willst Ha-sen? Auf of - fe - ner Stra- ßen, zur Kü - che sie lau -fen her - bei.

2. Jo -
4. Sollt

82

2. -han - nes das Lämm - lein aus - las - set, der Metz - ger He - ro - des drauf pas - set, wir
4. et - wa ein Fast - tag an - kom - men, die Fi - sche mit Freu - den an-schwom - men, da

2. führn ein ge - dul - digs, un - schu - digs, ge - dul - digs, ein lieb - li - ches Lämm - lein zum Tod.   Sanct

4. lau - fet Sanct Pe - ter mit Netz   und mit Kö - der zum himm - li - schen Wei - her hin - ein;   willst

84

2. Lu - cas den Och - sen thut schlach - ten, ohn ei - nigs Be-den - ken und Ach - ten, der

4. Karp - fen, willst Hecht, willst Fo - rel - len, gut Stock - fisch und fri - sche Sar - del - len? Sanct

85

2. Wein kost't kein Hel - ler im himm - li - schen Kel - ler, die En - gel, die bak - ken das Brod.
4. Mo - ritz hat müs - sen sein Le - ben ein - bü - ßen, Sanct Mar - ta die Kö - chin muß sein.

3. Gut

Er - den, die uns - rer vergli - chen kann wer - den, eilf - tau - send Jung-frau - en zu tan - zen sich trau - en, Sanct

88

5. Ur - su-la selbst da-zu lacht, Ce - ci - lia mit ih - ren Ver-wand - ten sind treff - li- che Hof - mu- si -

5. -kan - ten, die eng - li - schen Stim - men er - mun - tern die Sin - nen, daß Al - les für Freu - den er - wacht!

90

HINWEISE UND ANMERKUNGEN

I

1. Meisenruf
Eine Sprechetüde auf den Terzfall mit beliebig variierbaren sprachlichen und metrischen Permutationen über gliedernden Markierungen des Altglockenspiels. Je nach dem Alter der Ausführenden liegt sprachgestische und pantomimische Ausdeutung nahe.

2. Blaue, blaue Wolken
Der Kinderreim mit zerspielten Elementen christlicher Legende erweitert die Dreiermelodik in der Schlußphase zum Fünftonraum. Die Klangfarbe ist durch einen Quart-Quintostinato auf dem Metallophon bestimmt.

3. Ene bene Bohnenblatt
Der Impuls der einmaligen Punktierung im vorletzten Takt der Melodie wird im Nachspiel durch die Glockenspiele aufgenommen. Der durch die „Pedalwirkung" der Metallophone bestimmte Klangsatz unterstreicht die Ausgewogenheit der pentatonischen Melodik.

4. Ist gar ein schöner Garten
Hier tritt das Baßxylophon in Verbindung mit der Bordunquint des Streichbasses zu den Bindeklängen der Metallstabspiele. Die klangliche Einrichtung unterstreicht den Charakter des Liedes, das an die Hinterglasmalerei eines naiven Devotionalienbildes erinnert.

5. Frau Holda
Dem Text liegt die Vorstellung von Frau Holda und dem goldnen Schlosse und Glasberg zugrunde, darin sie sitzt und viele Kinder um sich hat, mit denen sie auf einer großen Wiese tanzt und spielt.
„Die goldene Kanne und goldenen Stiegen weisen auf Freija-Holda's Eigenschaft als Sonnengöttin, denn das war sie ebenfalls, gleichwie sie mit dem Wasser verbunden erscheint. Aus goldenem, sonnenerleuchtetem Bronn bringt sie mit gold'nen Kannen, die goldene Sonnensteige heraufkommend, unablässig die ,Vielen' herauf, die auf Wassersgrunde bei ihr liegen. In dichterischer Weise ist hier der Mutterleib angedeutet."
Aus: F. M. Böhme, Deutsches Kinderlied und Kinderspiel, Lpz. 1897, 206.
Die solistische Eintonrezitation mündet in die von Dreiklängen getragenen Klangsilben des Wiegenliedes.

6. Sitzt an Engerl an der Wand
Die frühkindliche Bildgeschichte aus Salzburg mündet in einen Kettendialog vom Typus der Kinderzählgeschichte. Die verweilende chorische Erzählung, durch den Klanggrund ins Märchenhafte verfremdet, wird durch eine rhythmisch fixierte, blitzschnell wechselnde Frage-Antwortkette mit hart pointiertem Schluß abgelöst.

7. Der Müller thut mahlen
Der Text stammt aus „Des Knaben Wunderhorn". Die Einrichtung folgt in dem Wechsel der Begleitung zu den gesungenen Strophen — bei unverändert wiederkehrendem Zwischenspiel — der Satzanlage des Rondos mit Refrain und Couplet.
Die verschränkten Rhythmen der Altxylophone können durch den Einsatz von Holzblocktrommeln, mit Bambusstäben geschlagen, farblich intensiviert werden.

8. Geschichtete Ostinati (pentatonisch)
Ein typisches Modell für großflächiges Gruppenmusizieren zur Darstellung eines ornamentalen Klangteppichs, an dessen Vielfarbigkeit Stabspiele aller Lagen über grundierender Streichquint in Verbindung mit untextierten Sing- oder Summstimmen und pentatonisch geführten Sopranflöten zusammenwirken.

9. Nüna, nüna, Puppala schlof
Das aus dem Oberelsaß stammende, in verschiedenen Textfassungen verbreitete Lied ist durch den metrischen Wechsel der Melodie charakterisiert: der gerade Takt des Mittelteils läßt die Dreierbewegung des Wiegenliedes desto eindringlicher hervortreten.

10. Drei kleine Nachspiele
für Summstimmen oder mit improvisiertem Text demonstrieren die Offenheit des Modells für vielfältige klangliche Varianten. Sie entstehen aus der Lieddarbietung wie von selbst.

11. Vier Sprechstücke:

Duck dich
Der Text gehört zu den weitverbreiteten Gewitterbannsprüchen. Aus dem Imperativ: Duck dich! entsteht ein echoartig verfugtes Wechselspiel zweier Gruppen in einem gedämpften, die Angstgebärde des Sichduckens spiegelnden Sprechklang.

Vivos voco
Die alte lateinische Glockeninschrift: „Die Lebenden rufe ich, die Toten beklage ich, die Blitze breche ich" — aus Schillers „Lied von der Glocke" bekannt — ist mit dem Spruch: „Gott weiß die Zeit" zu einer Meditation für drei Sprechgruppen in wechselnden metrischen Überlagerungen vereinigt.

Kommt Zeit, kommt Rat
Der Spruch: „Kommt Zeit, kommt Rat" wird als auftaktig-jambische Sprechfigur vorgestellt. Die ostinate Wiederholung dieser Devise ruft — gleichsam im Nachlauschen — sinnähnliche Sprüche hervor, die einander ergänzen und sich gegenseitig auslegen. Es entsteht eine mehrschichtige Montage, die als quasi-musikalische Struktur das simultane Erklingen verschiedener Texte zu einem Sinnganzen verbindet.

Schnepfenregel
Der kreatürliche Rhythmus ist mit dem Verlauf des Kirchenjahres verbunden. Klanggestisches Sprechen im Wechsel von Solo und Tutti gibt der Spruchreihe den Charakter einer naturhaften Spielszene.

12. Schau grad wias regna tuat
Der gesungenen Melodie folgt refrainartig eine von Körpergesten rhythmisch gestützte Sprechetüde auf lautmalende Klangsilben.

13. Havele, havele Hahne
Zur Fastnacht ziehen die Kinder mit einem Korb herum, in dem ein gebundener Hahn liegt, schaukeln ihn und singen den Heischespruch. Dieser Text ist hier auf rhythmisiertes Sprechen und Rufklang angelegt und von Schlagwerk unterbaut. Der Wechsel von Solo und Tutti gliedert den Ablauf.

II

14. Intrada für Pauken, Trompeten und Flöten
Die Pauke intoniert die erste und die fünfte Stufe, ein Sigel für die bisher ausgesparte Tonika-Dominantbeziehung. Hornquintenführungen eines Bläsersatzes füllen das Tonika-Dominantspiel harmonisch aus. Die Verbindung von Pauken und Trompeten vergegenwärtigt die tradierte Freiluftmusik des Aufzuges und des Marsches, während die den Trompetensatz überlagernden Flöten Erinnerung an Bewegungsmusiken der Spielleute und Stadtpfeifer heraufrufen.

15. Ballade vom Herrn Latour
Text aus H. M. Enzensberger, Allerleirauh, 1961, 342.
Der Name des Helden weist auf den Drachenturm wie auf den „Turm in der Schlacht". Alle Elemente der Ritterromantik sind im Text vereinigt: der Drache, die gefangene Jungfrau, die mißglückte Befreiung durch „Unwürdige", der Sieg des Helden und die fröhliche Hochzeit. Der französische Refrain ist Klischee vergangener Troubadour-Herrlichkeit. Der Charakter des Textes auf der Grenze von Ritterballade, Märchen und Eigenparodie wird in der musikalischen Einrichtung gespiegelt. Die Ballade wird nicht dramatisch gedeutet, sondern als strophisches Tanzstück angelegt. Eintonrezitation und akkordischer Refrain wechseln unter Einsatz zweier Chorgruppen.

16. C'était Anne de Bretagne
Der Text des alten französischen Volksliedes bezieht sich auf die Heirat der Anna von Bretagne, Tochter des letzten bretonischen Herzogs, mit Karl VIII. von Frankreich (1491), wodurch die Bretagne zur französischen Krone kam.
Die Übersetzung lautet:

Anna, Fürstin der Bretagne —
    — Holzschuh trägt sie stolz! —
Kam herab von ihrem Schlosse —
    — all in Holzschuhn, Holzpantinen! —
Ha! Ha! Ha! Hoch die Schuh, die Schuh aus Holz!
Kam herab von ihrem Schlosse,
Rings gefolgt von ihrem Trosse.
An den Toren der Stadt Rennes
Trifft sie auf drei Kapitäne,
Die als Fürstin sie begrüßen,
Legen Blumen ihr zu Füßen:
„Du wirst Königin, wenn sie blühen!"
Und schon sieht man, als sie blühen,
Anna nach Paris hin ziehen.
Kummer bringt das den Bretonen,
Da die Fürstin sie verloren;
Kommen nach Paris gezogen,
    — all in Holzschuhn, Holzpantinen! —
Ha! Ha! Ha! Hoch die Schuh, die Schuh aus Holz
              (Herm. Marx)

Die Strophen sind sog. ‚couplets croisés', d. h. die 2. Zeile der 1. Strophe („Kam herab...") bildet mit der folgenden Zeile („Rings gefolgt...") die 2. Strophe; die dritte Strophe entsprechend: „Rings gefolgt... An den Toren..." usw. Der melodische Bau und die wechselnde Metrik weisen auf tänzerischen Ursprung des Liedes. Der Satz wird mit Holzglocken klangmalerisch eingeleitet. Der erste Teil der Melodie wird durch Baßflöte, Laute und Kontrabaß pizzicato grundiert; dem zweiten Teil geben Flöten, Sordun(Oboe), Xylophone und Gambe eine individuelle Farbigkeit.

17. Geschichtete Ostinati (pentatonisch)

Pentatonische, nach Rhythmus und Klangfarbe vielfältig differenzierte Ostinati auf der Basis d, die in gestuften Einsätzen und Schichtungen Klangfundamente entwickeln für ein konzertierendes Duett von Sopran- und Altflöte.

18. Abendlied (Der Mond ist aufgegangen) — (Matthias Claudius, 1740—1815)

Die bekannte Volksmelodie des Abendliedes hat hier keinen Platz. Es ist kein Singen, sondern ein Klangsprechen. Eine ostinate Grundierung setzt mit jeder Strophe wechselnde instrumentale Zeichen. Zu tiefen Metallophonen in der dritten und vierten Strophe (nach Orffs Auswahl gezählt) treten geriebenes Glas, dann Pauke und Baß hinzu.
In solcher Selbstdarstellung des Gedichtes wird die Sprache nicht rezitiert, sondern meditiert.

19. Vor der Ernte (Martin Greif, 1839—1911)

Auch dieses Gedicht von Martin Greif wird frei gesprochen. Der unterlegte Klanggrund ist hier jedoch an der Darstellung des Wortes beteiligt. Zwischen stehenden Außentönen der tiefen Streicher und des Metallophons bewegt sich ein aus der Vorstellung des leise wogenden Ährenfeldes abgeleitetes Klangzeichen. Die Instrumente führen das Bild weiter: über dem "fernen Donner" der Pauke mahnt der Stundenschlag des Metallophons, abgelöst von einem weit entfernten Flötenruf — gleichsam "stabilisierte Romantik".

20. Der Tod (Matthias Claudius)

Die trübe Todesvision — die Verse sind in letzter Einfachheit zu sprechen — wird in ein adäquates Klangmodell übernommen. Der Individualcharakter der Instrumente prägt die Bildsymbolik: Holzglocken und Baßxylophon gliedern die rinnende Zeit bis zum Pianissimo-Schlag des Tamtam.

21. Zum Einschlafen zu singen

Meditative Summstimme, die auch Klangsilben oder Stegreiftextierung zuläßt, über einer ostinaten Spielfigur des Altglockenspiels, das von dem Singenden selbst gespielt zu denken ist.

22. Der Mensch (Matthias Claudius)

Der Spruch von der Todverfallenheit des Menschen und seinem Aufgehobensein in Gott wird als chorische Quasi-Improvisation vorgetragen. Um e' als Zentralton entfalten sich in wechselnder Kontraktion und Expansion einer Klangzelle Mixturklänge, die mit unisonen Strecken im Oktavabstand alternieren. Der Klangsatz ist im Spiegel gearbeitet. Die Satztechnik legt eine Wiedergabe in Stil und Geist alter Chormusik nahe.

23. Zwei Chorsätze:

Te lucis ante terminum

Der gregorianische Hymnus zur Complet ‚Te lucis ante terminum' („Beim letzten Lichtstrahl rufen wir") erklingt in chorischem Organalstil mit Intervallspiegelungen. Die vier- bis fünftönigen, vielfach ebenfalls durch Sekundreibungen geschärften Klänge stellen ihrem Wesen nach klanglich entfaltetes Melos dar.

Tres magi

Der lateinische Spruch von den drei Magiern wird ebenfalls als Chorsatz in paraphoner Technik vorgestellt. Gleitende Dreiklangsmixturen bewegen sich über wechselnden Ostinati, was zu ständigen Schärfungen durch die Untersekund führt.

24. Bläserstück

Dieses Stück demonstriert beispielhaft wechselnde Techniken zur Handwerkslehre der Parallelführungen: Sextakkordparallelen über Quintbaß; Quintparallelen über Bordunton; Bicinium von zwei Posaunen als Intermedium.
Trotz dieses Lehrstück-Charakters ist ein musikalischer Sinn signifikant: es mutet wie eine düstere Schreitmusik in der Art einer ‚Danse macabre' an.

25. Es geht ein dunckle Wolcken rein

Text und Melodie sind aus dem 16. Jahrhundert überliefert. Der Klangsatz ist durch einen absteigenden phrygischen Quintbaß bestimmt, der — nach seinem Vorkommen in einem südspanischen Tanz — als Malaguena-Baß bekannt ist. Der schwer schreitende Bläserklang — Trompeten und Posaunen dominieren — gibt dem Satz in Verbindung mit der gemessen schwingenden Dreiermelodik den Charakter eines feierlichen Tanzes von düsterer Grazie.

26. Das Pfingst-Ei

An Wupper und Niederrhein wird in der Pfingstnacht das Heischelied zum Eiersammeln gesungen. Die gespendeten Gaben werden in einer Kiepe gesammelt und anschließend gemeinsam verzehrt. Die offenbar sehr alte Melodie hat Orff übernommen (Erk, Liederschatz II; Böhme, Kinderlied Nr. 1647; Böhme, Altdeutsches Liederbuch Nr. 498). Ihr Reiz liegt in der Unentschiedenheit charakteristischer Töne: g gegen gis; b gegen h.
Der Klangsatz treibt durch „leere" Quint-Oktavklänge und aufgesetzte Mixturen die „Eckigkeit" der Melodie pointiert hervor.

III (lydisch)

27. Von der Geburt des Herrn

Die Melodie stammt aus dem „Moosburger Cantionale", einer Pergamenthandschrift der Münchener Universitätsbibliothek aus dem Jahre 1360, die etwa 40 gereimte lateinische Gesänge für das Repertoire der Klosterschule Moosburg ent-

hält. Die Melodie zu ‚Nunc angelorum gaudia' steht in enger Nachbarschaft zu Weihnachtsliedern wie „Joseph, lieber Joseph mein", „Resonet in laudibus", „In dulci jubilo", besonders aber zum „Quempas", dem verbreiteten Christmettenlied der Lateinschüler seit dem Mittelalter. Mit diesen Melodien hat sie die lydische Tonart (bzw. F-Dur) des Pastorale und die 6/8-Bewegung der „Kindlwiegenlieder" gemeinsam.
Orff hat die Melodie in einen auf charakteristische Farben abgestellten Klangsatz eingelegt, in dem mehrfach besetzte Metallstabspiele dominieren.

28. Das arm Kind (Text von Georg Büchner aus „Woyzeck")
Der Text von Büchners „Antimärchen" aus „Woyzeck" wird als „Prosa" ohne metrische Bindung vom „Erzähler" gesprochen. Die Weltverlorenheit der Aussage konzentriert sich in textgliedernde Instrumentalzeichen. Die Liedharfe stellt eine klangliche Chiffre mit dem für das Lydische typischen Tonmaterial (f' a' c' h' a' h' g' a') als Introduktion für den Sprecher auf. Der folgenden instrumentalen „Interpunktion" der Textpassagen dienen bildadäquate Klangfiguren und Klangfarben von Glockenspiel, Metallophon, Gläsern, Tomtom, Rasselbüchse, kleiner Holzblocktrommel, Tamtam, Baßxylophon, Bratschen, sordiniertem Streichbaß, Pauke und Großer Trommel. Die klangliche Realisation legt den Vergleich mit einer aufs äußerste ausgesparten Strichzeichnung nahe.

29. Lydisches Flötenstück
Ein dialogisches Wechselspiel zweier Sopranflöten mit pointierter Umspielung des lydischen Schrittes (h statt b im F-Raum). Die sich kontinuierlich verkürzenden Passagen führen zum Schluß zu terzenweiser Überlagerung und mit Hinzutritt der dritten Flöte zu Sextakkordmixturen. Es handelt sich wieder um klangliche Ausfaltung der melischen Linie.

IV (mixolydisch)

30. Geschichtete Ostinati
Glockenspiele und Xylophone verschiedener Lagen, durch ein Baß-Pizzicato gestützt, bilden in rhythmischer und klanglicher Verfugungstechnik einen ostinaten Klanggrund aus, über den sich freie Improvisationszüge, wechselnd zwischen Tenor- und Sopranflöte, entfalten. Als Mittelteil erklingt eine Solokadenz des Xylophons.

31. Der Meie
Der Text ist durch Hans Sachs überliefert, die Melodie durch Lieder- und Tanzbücher des 16. Jahrhunderts. In Böhmes „Altdeutsches Liederbuch" (Nr. 279) findet sich der Titel: „Alter Reihentanz um das erste Veilchen".
Folgerichtig legt Orff den Satz als Tanzlied aus Vor- und Nachtanz an: geradtaktiger, musetteartiger Stampftanz über der Dudelsackquint und anschließender Drehtanz („Hupfauf") im Dreier nach der Manier der spielmännischen Stücke für Flöte und Trommel.

32. Aus dem Märchen der Brüder Grimm
„Der Froschkönig oder der Eiserne Heinrich"
„Eins der allerältesten und schönsten Märchen" nannten die Brüder Grimm das ihre Sammlung eröffnende Stück vom Froschkönig.
Die Stimmen des Verzauberten und dann die des Erlösten im Zwiegespräch mit seinem treuen Diener sind als magische Formeln in Verszeilen aus dem Prosatext der Märchenerzählung herausgehoben. Magisches Sprechen aber ist tönendes Sprechen. Die Instrumente schaffen einen klingenden Umraum für die Sprechstimmen und setzen charakterisierende Klangzeichen: das sprudelnde Wasser, der tapsende Frosch, der rumpelnde Wagen, der Reifensprung werden in bildstarke Klanggesten umgesetzt.

33. Wiegenlied beim Mondschein zu singen
Der Zusatz im Titel des berühmten „Wiegenliedes" von Matthias Claudius: „beim Mondschein zu singen" verlangt nach Musik. Das ruhige Pulsen des Baßxylophons weckt Erinnerung an die tradierte 6/8-Bewegung des Wiegenliedes. Ein statischer Wechselklang von zwei Lauten und Baß (pizzicato) trägt und umhüllt die Sprechstimme. Dieses klingende Fundament schließt subjektivgefühligen Vortrag aus und läßt den „sonoren" Eigenklang der Sprache hervortreten.

34. Das himmlische Leben
Das „Wunderhorn" führt den Text als „Bairisches Volkslied" unter dem Titel „Der Himmel hängt voller Geigen" auf. Das Loblied des himmlischen Schlaraffenlandes mischt Töne fabulierfroher Volkspoesie mit einem hintergründigen, die Grenze der Parodie überschreitenden Humor.
Orffs Klangsatz zeigt einen kurzgliedrigen Canzonettenstil mit stufenweiser Ausfaltung der chorischen Einstimmigkeit zu paraphonen Mixturklängen. Die Besetzung sieht alternierende Knaben- und Männerstimmen vor.

Werner Thomas